C'est le
BONHEUR
qui nous mène

Pierre Nadeau, éditeur

C.P. 325, Succursale Rosemont
Montréal (Québec), Canada H1X 3B8
Téléphone: (514) 522-2244
Télécopieur: (514) 522-6301
Courrier électronique: pnadeau@edimag.com

Éditeur: Pierre Nadeau

Dépôt légal: premier trimestre 2003
Bibliothèque nationale du Québec
Bibliothèque nationale du Canada

© 2003, Édimag inc.
Tous droits réservés pour tous pays
ISBN: 2-89542-097-1

Pascale PROULX

C'est le
BONHEUR
qui nous mène

**Maximes, pensées
et autres trouvailles
sur le bonheur**

Édimag inc. est membre de
l'Association nationale des éditeurs de livres.

DISTRIBUTEURS EXCLUSIFS

Pour le Canada et les États-Unis
Les Messageries ADP
955, rue Amherst
Montréal (Québec) H2L 3K4
Téléphone: (514) 523-1182
Télécopieur: (514) 939-0406

Pour la Suisse
Transat S.A.
Route des Jeunes, 4 Ter
C.P. 1210
1 211 Genève 26
Téléphone: (41-22) 342-77-40
Télécopieur: (41-22) 343-46-46

Pour la France
Librairie du Québec / DEQ
30, rue Gay-Lussac
75005 Paris
Téléphone: (1) 43 54 49 02
Télécopieur: (1) 43 54 39 15
Courriel: liquebec@cybercable.fr

Dans la vie, il y a une foule de petites et de grandes occasions susceptibles de vous apporter joie et bonheur. Regardez bien autour de vous et saisissez-les rapidement car le bonheur peut à la fois être instantané et durable dans le temps.

Il n'y a pas de recettes magiques et les sages de tous les temps n'en ont jamais trouvé non plus. Le bonheur qui nous mène peut faire en sorte que tout aille bien tout le temps. Dans les pages qui suivent, vous trouverez assurément quelques pistes qui vous aideront dans vos réflexions et votre quête personnelle de ce bonheur tant recherché.

Bonne lecture

Bonheur
=
AMOUR
=
Joie de vivre

Des moments doux
après une épreuve
difficile,

voilà le bonheur.

**Parfois,
le chemin
du bonheur
peut être ardu
et pénible.**

Persistez.

C'est fou le bonheur.

Et
j'adore
cette
folie.

Le bonheur est
une récompense
qui vient
à ceux qui ne
l'ont pas cherché.

Alain

 11

Le bonheur
sourit
généralement
aux
bonnes gens.

Semez-le partout,
le bonheur.

Le monde
ne s'en sentira
que mieux.

Le bonheur n'a pas de préférence.

Il se vit

SEUL,

à deux,

en famille,

etc.

Porte-bonheur :

deux mots
qui disent

TOUT.

 15

Si on ne voulait qu'être heureux, cela serait bientôt fait. Mais on veut être plus heureux que les autres, et cela est presque toujours difficile parce que nous croyons les autres **plus heureux qu'ils ne le sont.**

Montesquieu

16

Le bonheur

existe.

C'EST FAUX
D'AFFIRMER
LE CONTRAIRE.

Pour lui,

le bonheur,

c'est **VOUS**.

18

Pour être heureux,
il faut se concentrer

sur tout ce qui va bien.

PAS le CONTRAIRE.

Avec tout l'argent du monde, on ne fait pas des hommes, mais avec des hommes et qui aiment, on fait tout ...

Abbé Pierre

ON DIT SOUVENT
QUE L'ARGENT
NE FAIT PAS
LE BONHEUR.
ET C'EST VRAI!

C'est drôle comment
on remarque rarement
notre bonheur

et que celui

DES **AUTRES**

nous saute aux yeux.

Heureux et bonheur :

DEUX MOTS
INDISSOCIABLES.

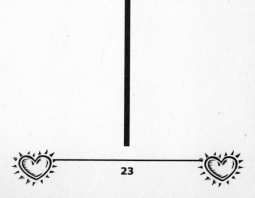

Tout comme l'espoir fait vivre,

le bonheur y contribue
BEAUCOUP.

LE BONHEUR

EST UN RÊVE

D'ENFANT

RÉALISÉ DANS
L'ÂGE ADULTE

FREUD

 25

Il ne faut surtout pas
se sentir coupable
d'être heureux.

Chacun

PREND

S O N   P E T I T

BONHEUR

où il peut.

Notre existence
entière
est souvent dictée
par notre quête
du bonheur.

Voyons-y!

Le bonheur, ça compte;
pourquoi le refuser.
En l'acceptant, on n'aggrave
pas le malheur des autres;
et même, ça aide à lutter
pour eux.
Je trouve regrettable
cette honte qu'on éprouve
à se sentir heureux.

CAMUS

Bonheur:

ce que tout le monde
RECHERCHE,
désire,
anticipe,
souhaite
et ESPÈRE
trouver un jour.

Être en harmonie avec soi,

voilà un gage
de bonheur
assuré.

Un
bonheur
est
si
vite
arrivé !

Il y a,
au bas mot,
des milliers de chemins
vers le bonheur.

Un seul nous suffit.

Le bonheur
ne se compte pas,
il se
savoure.

Un sage a déjà dit

que le bonheur

a les bras grand ouverts

et les yeux fermés!

On trouve **souvent**

le bonheur auprès **d'amis**

PROCHES et fidèles.

Ce n'est pas toujours vrai que le bonheur des uns fait le malheur des autres. PAS TOUJOURS.

.
.
.
.
.
.
.

De plusieurs façons,
le bonheur est magique :

**chérissez-le autant
que vous pouvez!**

L'homme jouit du bonheur **qu'il ressent**, et la femme de celui **qu'elle procure**

Pierre Choderlos De Laclos

UN BONHEUR PASSE.

VITE

ON S'Y COLLE.

Le bonheur peut
être CONTAGIEUX.

Faites en sorte
qu'il le soit!

On frôle SOUVENT le malheur.
On touche plus RAREMENT
au bonheur.

Appréciez ces moments
AUTANT que vous le pouvez.

Quand on trouve
le bonheur,
c'est qu'il y a
dans les parages

AMOUR,
PAIX
ET SÉRÉNITÉ.

Dépendant
de la perception
de chacun
d'entre nous,

le bonheur

se résume à peu ou plein

de choses.

J'ai décidé
d'être heureux
parce que

C'EST BON
POUR
LA SANTÉ.

VOLTAIRE

Le bonheur est très personnel.

Chacun le façonne à sa guise

QUOI DE MIEUX,

POUR QUELQU'UN

QUI AIME LIRE,

QUE TROIS OU QUATRE

CENTS PAGES

DE PUR BONHEUR.

Il ne faut pas
souffrir
de notre
incapacité
à trouver

LE
BONHEUR.

**Semer le bonheur,
tout comme l'amour,
procure une sensation
bénéfique immense.**

Un tien vaut
mieux
que deux
tu l'auras.

Comme
c'est vrai
pour le bonheur
aussi.

Quelle aventure
que le bonheur.

Vivez-la
pleinement!

Un bonheur,
ça se partage.

Sinon
quel gaspillage.

Ce qui m'intéresse,

ce n'est pas LE BONHEUR
DE TOUS les hommes,

c'est CELUI DE CHACUN.

Boris VIAN

53

Si vous voulez
être HEUREUX,

il faut que RIEN

ne vous
EN EMPÊCHE.

Doux
bonheur,
douce joie,
douce folie!

Il va de soi
que L'AMOUR
est la clef
de TOUT bonheur.

Nos yeux,
notre regard,
nos gestes
trahissent
notre joie,
notre bonheur.

Quelle sensation grisante!

UN BONHEUR,

ÇA SE CONSTRUIT

ET ÇA SE DÉMOLIT.

IL EN DÉPEND

DE NOUS.

BONHEUR:

faire ce que l'on veut et vouloir ce que l'on fait.

F. Giroud

LE BONHEUR

qui nous mène

PEUT FAIRE EN SORTE

que tout aille bien

TOUT LE TEMPS.

Bonheur,
aime-moi
comme
je t'aime.

Le bonheur est souvent dans les petites choses;

voyons moins grand!

Sois heureux!

La vie est si courte et si belle.

La GRANDE AFFAIRE

et la seule
qu'on doive avoir,

c'est de vivre heureux

Voltaire

 64

POUR DES PARENTS,

LE BONHEUR
c'est des ENFANTS

EN SANTÉ.

Un doux moment
d'amour

nous mène TOUT DROIT
à une sensation

de pur bonheur.

BONHEUR,
TU M'AS JETÉ
UN SORT.

JE SUIS HEUREUX!

Le **<u>BONHEUR</u>,**

c'est la *paix*

intérieure

de notre âme.

Si, par bonheur,
vous accomplissez
tous vos rêves,
dites-vous bien
que c'est beaucoup
à vous que vous
le devez.

Il y a des gens
qui ont TOUT
pour être heureux,
sauf le **BONHEUR**.

SACHA GUITRY

 70

L'équation
du bonheur
est avant tout

EN SOI

Les **ENFANTS** ont besoin **d'être** **heureux**.

Donnez-leur toutes les **MUNITIONS** possibles.

Le bonheur,

c'est lorsqu'un enfant
nous ouvre ses bras

en guise
d'amour.

Il y a un début à tout
bonheur.

C'est à nous de voir
à ce qu'il ne finisse

JAMAIS.

Un bonheur durable

dans le temps

se savoure à l'infini.

Le bonheur,
c'est d'être heureux,
ce n'est pas de faire
croire aux autres
qu'on l'est.

Rimbaud

Sans toi,

bonheur,

je ne saurai
être...
je ne pourrais
que paraître.

Il ne faut
surtout pas
attendre trop tard
pour s'ouvrir
À L'AMOUR
ET AU BONHEUR.

Qui vit de BONHEUR possède toute la RICHESSE du monde.

ÇA NE COÛTE RIEN, MAIS ABSOLUMENT RIEN, LE bonheur.

Le BONHEUR

se traduit souvent

en petites choses SIMPLES,

AGRÉABLES

et INATTENDUES.

Le **bonheur**
nous laisse
parfois
MUET
de béatitude.

Une vie
sans bonheur,
c'est comme
un enfant
sans sourire.

Sautez à **PIEDS JOINTS**

dans le bonheur,
on s'y sent

tellement léger.

Le bonheur d'un ami
nous enchante.

Il nous ajoute.

Il n'ôte rien.

Si l'amitié
s'en offense,
elle n'est pas.

Cocteau

Tout est dans la joie du cœur.

Ce qu'il y a
de formidable
dans le BONHEUR,

c'est qu'il
repasse
de temps à autre.

APPROCHE-TOI ,
PETIT BONHEUR,
JE SUIS
FRILEUX.

Peut-être
n'avons-nous pas su
prendre
les **bons
moyens**
*pour atteindre
notre bonheur.*

Le bonheur,

c'est AIMER,

ÊTRE

AIMÉ

et aimer encore!

 90

Trop de vin enivre,
mais trop
de bonheur
ne saoûle pas.

On a tort d'oublier
que tout
petit bonheur
saura devenir grand

si on y voit.

Le bonheur s'appelle

TOI!

Le bonheur est parfois caché dans l'inconnu.

Victor Hugo

Travailler
au bonheur
des autres.

Voilà un beau métier.

C'est
rarissime,
mais le bonheur

INSISTE

parfois.

Ne manquez pas
cette chance.

Le bonheur

SAIT

transformer

la NOIRCEUR
en lumière.

Ce n'est pas tant
la QUANTITÉ
que la QUALITÉ
de notre bonheur
QUI COMPTE.

Chacun
prend
son bonheur
où il le peut!

*Le bonheur
n'est peut-être
qu'un malheur
mieux supporté.*

M. Yourcenar

Si l'on bâtissait la
maison du bonheur,
la plus grande pièce
serait la salle
d'attente

Jules Renard

Le bonheur est
EXIGEANT,

mais il n'est pas
intelligent.

 102

Souvent,
ce sont
les événements
qui dictent

le BONHEUR
des gens.

Quand il y a de la JOIE DE VIVRE, il y a

du bonheur.

Faites-vous plaisir!
La vie est si courte.

Le bonheur,
c'est la vie
améliorée.

 106

Transmettre

*de bonnes
et belles valeurs*

**qui vont
accompagner
nos enfants**

toute leur vie,

voilà de quoi
être heureux.

Le **bonheur** qu'éprouvent des grands-parents entourés de leurs petits-enfants, est **indescriptible**.

S'il y a une aventure
À VIVRE,

c'est bien celle
du bonheur
qu'il faut retenir.

Que de
bonheurs perdus
pour
des riens.

La plus belle chose
qu'on puisse faire
en découvrant
le BONHEUR,
c'est de le partager.

Le bonheur est
un parfum

que l'on ne peut verser
sur les autres

sans en recevoir
quelques gouttes

soi-même.

Anonyme

 112

Du **BONHEUR**
découle toute
une gamme
<u>D'ÉMOTIONS</u>

On laisse venir

le
BONHEUR,

on ne le
brusque pas.

Le bonheur
est GRAND,
c'est nous
qui sommes PETITS.

Le bonheur est fort,
c'est nous
qui sommes faibles

Le
bonheur
*est de connaître
ses limites
et de les aimer.*

Romain Roland

DANS LE MALHEUR,

SE CACHE
SOUVENT
UN

BONHEUR.

La porte du
BONHEUR

est souvent
trop **GRANDE** ouverte

et on ne la voit pas.

 118

Si par bonheur
vous
comprenez AIMER,
vous avez
bien compris.

Je désire

le bonheur

comme

je désire l'amour.

*Nous aurons
le destin
que nous aurons
mérité.*

Einstein

Le plus
grand miracle
du bonheur,
c'est qu'il guérit
bien des maux.

Faire
le bonheur
d'une
génération,

*c'est l'encourager
à croire
en l'avenir.*

IL VAUT MIEUX
VIVRE UN BONHEUR

QUE DE
LE RÊVER
ÉTERNELLEMENT

•

Un grand obstacle
au bonheur,
c'est de s'attendre
à un trop grand bonheur.

Fontenelle.

De temps à autre,
il faut être **PATIENT**.

La JOIE, l'AMOUR,
la SÉRÉNITÉ et
le BONHEUR suivront.

Il faudrait convaincre les hommes du bonheur qu'ils ignorent, alors même qu'ils en jouissent.

Montesquieu

DÉBARRASSE-TOI DE TON **PETIT MOI** POUR ÊTRE HEUREUX.

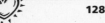

Vivre
DANS LA MAGIE
du bonheur
est à la portée
de tous.

IL SUFFIT
D'Y CROIRE
ET D'AGIR.

Le BONHEUR

nous apprend

à regarder

LA VIE

différemment.

*Il ne
s'apprend pas
le bonheur;*

IL EST LE RÉSULTAT DE NOS GESTES ET PENSÉES.

On récolte
le BONHEUR

QUAND
on a su bien
LE SEMER.

L'amour est fort,

**MAIS
LE BONHEUR**

est plus
fort
que TOUT.

RIEN,

sinon que
d'être réaliste
et persévérant,
ne peut nous

EMPÊCHER

d'être heureux.

Le bonheur
n'est pas le FRUIT
de la paix;
le BONHEUR
c'est la paix même.

Alain

 135

MALHEUR ET BONHEUR
se côtoient
SOUVENT;
a nous de tout faire
pour *ÉVITER*
L'UN ET ATTIRER
L'AUTRE.

A TOUT MOMENT,
NOTRE BONHEUR
PEUT NOUS ÉCHAPPER.

IL FAUT ACCEPTER
CETTE FATALITÉ
ET Y VOIR.

Comme le premier pas

vers le bien

est de ne point faire

de mal, le premier pas

**vers le
bonheur** ←

est de ne point faire

souffrir.

J.J. Rousseau

138

LE GENS
HEUREUX SE
SOUCIENT DE
FAIRE RAYONNER
LEUR BONHEUR.

**Ayez donc
le bonheur
de choisir
pour vous-même.**

C'est une denrée rare.

En ayant une attitude sereine,
pacifique, saine,
on attirera facilement le bonheur.

Le **BONHEUR**,

c'est souvent
DANS LA TÊTE
que ça commence.

Plus on garde
ça simple,

plus c'est réalisable,
LE BONHEUR.

Le bonheur n'est pas le but, mais le moyen de la vie.

Paul Claudel

Quoi de mieux
que de goûter
au bonheur à chaque
jour.

*Divin
comme
menu!*

C'est clair
qu'il ne faut
pas se fier
sur les autres,
qu'il ne faut
pas suivre
les autres
pour trouver
le bonheur.

NOUS SEULS POUVONS Y VOIR.

146

Le
bonheur,

c'est de se sentir aimé

par quelqu'un

QUE L'ON CHÉRIT.

Le bonheur
n'est plus très loin

**quand on trouve
son chemin.**

 148

Le bonheur
n'est pas
intelligent,
ni rationnel,

il est
impulsif.

**SANS ÊTRE ÉGOÏSTE,
EN S'OCCUPANT**

DU BONHEUR
DES AUTRES,

**ON S'OCCUPE
ÉGALEMENT
DU NÔTRE.**

 150

L'**héroïsme**

est peu
de chose,

le
bonheur
est plus
difficile.

A. Camus

À un certain âge,
il nous suffit

DE PEU

 DE

CHOSES

pour goûter
au bonheur.

Assurer

son bonheur est ce que tous

veulent
pour
leur famille.

Amener notre bonheur au paradis. Quelle belle idée pour être heureux ÉTERNELLEMENT.

Le bonheur
d'un jeune couple d'amoureux,
que c'est naturel et beau!

C'est vrai
que notre
bonheur
peut susciter
l'envie
des autres.

Vous n'y pouvez rien.

 156

Le bonheur

n'attire pas

la sympathie.

P. de Boisdeffre

IL SE PEUT,
SELON NOTRE
VOLONTÉ,
Y AVOIR
QUELQUE CHOSE
D'IRRÉVERSIBLE
À NOTRE
BONHEUR.

Quel
sentiment

*que d'être
certain que notre*

bonheur
est plein!

 159

Il n'y a rien

DE

MALSAIN

à se créer soi-même
des petits bonheurs;

c'est même très tonifiant !

 160

Un amour
qu'on croyait perdu
à jamais;

que de bonheur
en le retrouvant.

À chaque
jour,
il faut
cultiver
son bonheur
et,
discrètement,

le répandre.

Le **bonheur** ne se MULTIPLIE qu'en se divisant.

G. Cesbron

PLUS *JAMAIS*
ON NE
M'Y PRENDRA
À TOURNER
LE DOS

AU
BONHEUR.

La complicité
mère-fille,
père-fils
est un avant-goût
au bonheur.

Celui qui craint

LE
BONHEUR

*a sûrement
beaucoup à craindre.*

Il n'y a de
BONHEUR POSSIBLE
pour personne
sans le soutien
du courage

ALAIN

Et si ça venait
TOUT SEUL,

n'en faisons
SURTOUT
pas de cas.

SURTOUT!

SI UN BONHEUR NOUS GUETTE, LAISSONS-NOUS PRENDRE.

Résister attirerait peut-être le malheur!

LE BONHEUR,

C'EST SE
RÉCONCILIER

AVEC TOUS

ET AVEC
LA VIE.

A chaque matin,
observez tout
ce qui vous entoure
dans la nature;

le **BONHEUR**

est là aussi.

Il y a du bonheur
dans toute espèce
de talent.

Balzac

À petites **GOUTTES** ou à GRANDS verres, faisons la folie de nous enivrer de **bonheur**.

Qu'en avez-vous fait de votre bonheur?

Idéalement, l'user au MAXIMUM!

Les fêtes en famille

 sont une occasion unique

de se réjouir
et de partager
son bonheur.

Voyons-y!

 175

Amour + Joie + Paix + Bonheur

Summum des sensations.

L'âme heureuse,
par l'irradiation
de L'AMOUR,
propage
LE BONHEUR
autour d'elle.

André Gide

Tantôt ami,
tantôt sœur,

tantôt amante
ou conjoint,

 le bonheur
peut nous
surprendre

 sous toutes
ces formes.

Il n'y a rien
de plus

BÉNÉFIQUE

aux narines
de notre ÂME
que le parfum

du BONHEUR.

Accueillir

LE BONHEUR

dans notre cœur,

c'est le début d'une vie nouvelle.

Règle générale,

l'amour
est souvent
en soi.

Le bonheur
aussi ;

il suffit
de gratter
un peu.

*Le bonheur
est un cadeau
du ciel!*

182

Si tu veux comprendre le mot bonheur, il faut l'entendre comme récompense et non comme but.

A de Saint-Exupéry.

Le vrai BONHEUR
est abordable,
il ne coûte
rien et est
accessible
à tous.

Voilà son
ULTIME SECRET
enfin dévoilé.

Le *bonheur,*
il faut toujours
en profiter
car on ne sait
jamais
quand il va

s'ARRÊTER.

A chaque jour,
ne suffit pas
son bonheur.

Il ne faut pas
oublier
de le vivre!

On ne peut que faire
l'éloge du bonheur.

Il n'y a pas de
mauvais bonheur.

La vie passe
plus gaiement
lorsqu'on est
en amour et heureux.

Nos moments de malheur nous viennent plus vite à l'esprit que nos moments de bonheur.

Pourquoi? Renversons la vapeur rapidement.

Ça devrait toujours être le contraire.

On est rien que par

LE BONHEUR

Chateaubriand

On dit souvent que
les gens heureux
n'ont pas d'histoire.

ILS JOUISSENT
DE LA VIE
AU MOINS
ET LEUR
BONHEUR
EST TANGIBLE.

**Il faut TOUJOURS
se garder du temps
à soi.**

Du temps à faire
ce qui nous rend
HEUREUX.

Pourquoi a-t-on
l'impression
d'être sur un nuage
quand on est heureux?

Le bonheur viendrait-il du ciel?

Notre bonheur

peut SOUVENT
nous donner des forces
inestimables

pour réussir
de GRANDES CHOSES.

Le BONHEUR
n'a rien
à faire

DU MATÉRIEL.

Le bonheur
a du pouvoir,

un pouvoir contrôlé
et sans abus,

mais juste assez
pour qu'on
le sente.

Il y a aussi

**UN INSTINCT DE
CONSERVATION**

pour le bonheur.

F. MAURIAC

Exiger

un bonheur
nous mène droit
à la catastrophe.

**Il ne faut
jamais renoncer
au bonheur.**

**Ce serait chose
anormale
pour quelqu'un
de sain.**

LE BONHEUR,
DANS LA MESURE
OÙ ON L'ENTEND
COMME JOUISSANCE,

peut faire des envieux.

Il ne faut pas
de tout
pour faire un monde.

*Il faut du bonheur
et rien d'autre.*

P. Eluard

Gardez
en souvenir
vos moments
DE BONHEUR;

ils vous aideront
à l'automne
de votre vie.

La plus grande réussite de votre vie

sera celle d'avoir su propager le bonheur

et l'amour aux gens près de vous.

 203

Vous est-il souvent arrivé
d'éprouver un immense
sentiment de gratitude
envers

TOUT
CE QUI VOUS
REND HEUREUX?

Le
BONHEUR

est la nourriture des gens heureux.

On en prendrait
tous des
«p'tits bonheurs»

comme l'a
si bien chanté
Félix Leclerc.

 206

Ayez des attentes réalistes
et appréciez la vie
comme elle vous vient.
Chaque bonheur se construit
brique par brique
et demeure fragile.

Il faut en être conscient, de cette
façon, on le préserve indéfiniment.

Demandez notre catalogue
ET, EN PLUS, recevez un
LIVRE CADEAU
et de la documentation
sur nos nouveautés*†

*Des frais de poste de 4 $ sont applicables. Faites votre chèque ou mandat-poste à l'ordre de Livres à domicile 2000

Remplissez et postez ce coupon à

Livres à domicile 2000, C.P. 325, Succursale Rosemont, Montréal, QC, Canada H1X 3B8

Les photocopies et les fac-similés
NE SONT PAS ACCEPTÉS.
Coupons originaux seulement.

Allouez de 3 à 6 semaines pour la livraison.

*En plus de recevoir le catalogue, je recevrai un livre au choix du département de l'expédition.
†Pour les résidants du Canada et des États-Unis seulement. Un cadeau par achat de livre et par adresse postale.

Le bonheur nous mène (431)

Votre nom :..

Adresse : ....

....

Ville : ....

Province/État : ....

Pays :...

Code postal : ....Âge ....

Le bonheur nous mène (431)